CW00376410

Gafi et le chevalier Grocosto

Didier Lévy • Mérel

Rachid le timide

Mélanie la chipie

Pacha le chat

Pascale la géniale

Arthur le gros dur

ES-tu prêt pour une nouvelle aventure ? Eh bien, commençons !

Ah, j'y pense : les mots suivis d'un ☼ sont expliqués à la fin de l'histoire.

Gafi téléphone à Pascale, Mélanie, Rachid et Arthur.

– Allo ? Un de mes amis a besoin d'aide ! dit le fantôme.

Rendez-vous au square !

– D'accord, répondent les enfants. On arrive.

Courir = to run

Les enfants courent jusqu'au square.
Près du bac à sable, Gafi parle
avec un drôle de personnage.
– Voici mon ami le chevalier Grocosto,
dit Gafi. Nous nous connaissons
depuis le temps des châteaux forts !

Gafi raconte alors l'histoire de son ami :
– Grocosto était le plus fort de tous
les chevaliers du Moyen Âge. Il ratatinait
les méchants avec son casse-tête.

Il n'avait peur de personne. Il a même défié Arnulf, le dragon géant qui crache des flammes de trente mètres !

– Pour battre le terrible Arnulf,
continue Gafi, mon ami s'est fabriqué
une armure en « Acier Anti-Dragon »
qu'il porte aujourd'hui. Ce fut une bataille
terrible. Et le chevalier Grocosto a gagné
le combat.

– Hélas, il y a eu un petit problème,
dit Gafi. Après le combat, Grocosto
n'a pas réussi à enlever son armure.

Et le pauvre est coincé dedans depuis huit cent trois ans ! Vous avez peut-être une idée pour le sortir de là, les enfants ?

11

– Facile ! s'écrie Arthur en remontant ses manches.

Il s'approche du chevalier et essaie d'ouvrir l'armure avec ses gros muscles. Sous l'effort, Arthur le gros dur grimace, transpire… Mais rien ne se passe.

Dans sa prison de métal, Grocosto pousse un soupir de déception.

Les enfants vont-ils trouver une solution ?

Gafi et le chevalier Grocosto

– Ma maman a acheté un nouvel ouvre-boîte,
dit alors Rachid. Aucune boîte de conserve
ne lui résiste. Gafi, nous allons libérer
ton ami !

Tout le monde se retrouve chez Rachid.
Mais l' « Acier Anti-Dragon » de l'armure
du chevalier est bien trop dur. L'ouvre-boîte
se tord…
Dans sa prison de métal, Grocosto pousse
un soupir de rage.

– J'ai la solution ! s'écrie Pascale.
C'est très simple, nous allons fabriquer
un canon laser « Anti Acier Anti-Dragon » !

Pascal et ses camarades se mettent
aussitôt au travail. Mais c'est long
et compliqué à fabriquer, un canon laser.
Dans sa prison de métal, Grocosto pousse
un soupir d'impatience.

17

Enfin, le canon laser est terminé !

Comme il est très lourd, Mélanie et Pascale

le portent. Pascale vise et tire.

Catastrophe !

Le rayon laser part de travers !
Il rebondit sur le mur, rase les moustaches
de Pacha, et finit par toucher le chevalier
Grocosto ! BOUM !

Gafi et le chevalier Grocosto

La fumée se dissipe petit à petit…

Le chevalier Grocosto se relève.

Ça alors ?!

Son armure est largement fendue !

– Gafi, bredouille Grocosto,

je n'ai pas eu peur du dragon Arnulf.

Je n'ai pas eu peur des pires brutes,

mais ces enfants me terrifient !

Gafi s'approche avec le pauvre Pacha
dans les bras.

– Le canon laser a un peu ouvert
ton armure, dit Gafi. Tu peux sortir
tout seul, maintenant.

Mais Grocosto a beau se tortiller,
impossible de se faufiler hors de l'armure.

Grocosto va-t-il rester
prisonnier de l'armure ?

« J'ai une idée ! » se dit Gafi, en regardant
Pacha se gratter. Le fantôme secoue le chat
au-dessus du chevalier.

Treize petites puces tombent
dans l'armure... Le chevalier se met
soudain à gigoter comme un fou.

Et voilà le chevalier Grocosto qui jaillit de l'armure, poursuivi par les puces.

Les enfants éclatent de rire.

– Grocosto était le plus fort des tous les chevaliers, dit Gafi.

Maintenant c'est aussi le plus rapide !!!

c'est fini !

Certains mots
sont peut-être
difficiles à comprendre.
Je vais t'aider !

Moyen Âge : période de l'Histoire qui a duré plus de mille ans. C'est l'époque des châteaux forts et des chevaliers.

déception : tristesse qu'on éprouve quand on n'a pas eu ce qu'on voulait avoir.

impatience : quelqu'un d'impatient est quelqu'un qui n'aime pas attendre.

se dissiper : disparaître petit à petit.

AS-tu aimé
mon histoire ?
Jouons ensemble,
maintenant !

Qui fait quoi ?

Trouve la bonne réponse.

 Rachid veut délivrer le chevalier
Grocosto avec

> une fourchette
> un tire-bouchon
> un ouvre-boîte

 Le dragon crache

> des bulles de savon
> de la glace au chocolat
> des flammes de trente mètres

 Le chevalier est enfermé dans son
armure depuis

> 803 ans
> 2 minutes
> la semaine dernière

*Réponse : Rachid veut délivrer Grocosto avec un ouvre-boîte ;
le dragon crache des flammes de trente mètres ; le chevalier
est enfermé dans son armure depuis 803 ans.*

28

Aide Grocosto

Replace-les les morceaux de l'armure sur le chevalier. Pour t'aider, lis bien leur nom.

Exemple : la mentonnière se place sous le menton.

un brassard

une cuissarde

une épaulière

une genouillère

Réponse : brassard : le bras, épaulière : l'épaule, cuissarde : la cuisse, genouillère : le genou.

Le combat

Trouve dans cette scène 5 anomalies :

Réponse : le chevalier a des patins à roulettes, l'enfant avec une casquette et un ballon, le chien a cinq pattes, le robinet dans l'arbre et la sentinelle sur les remparts tient un parapluie.

Dragons !

Tous les dragons sont identiques sauf un :
c'est Arnulf, trouve-le.

— *Réponse* : Arnulf est le dragon n°D.

Dans la même collection

Illustrée par Mérel

Je commence à lire

1- *Qui a fait le coup ?* Didier Jean et Zad • 2- *Quelle nuit !* Didier Lévy •
3- *Une sorcière dans la boutique*, Mymi Doinet • 4- *Drôle de marché !* Ann Rocard •
15- *Bon anniversaire, Gafi !* Arturo Blum • 16- *La fête de la maîtresse*, Fanny Joly

Je lis

5- *Gafi a disparu*, Didier Lévy • 6- *Panique au cirque !* Mymi Doinet •
7- *Une séance de cinéma animée*, Ann Rocard • 8- *Un sacré charivari*, Didier Jean et
Zad • 13- *Le château hanté*, Stéphane Descornes • 14- *Attention, travaux !* Françoise
Bobe • 19- *Mystère et boule de neige*, Mymi Doinet • 20- *Le voleur de bonbons*, Didier
Jean et Zad

Je lis tout seul

9- *L'ogre qui dévore les livres*, Mymi Doinet • 10- *Un étrange voyage*, Ann Rocard •
11- *La photo de classe*, Didier Jean et Zad • 12- *Repas magique à la cantine*, Didier Lévy •
17- *La course folle*, Elsa Devernois • 18- *Sauvons Pacha !* Laurence Gillot •
21- *Bienvenue à bord !* Ann Rocard • 22- *Gafi et le chevalier Grocosto*, Didier Lévy

Directeur de collection et conseil pédagogique :
Alain Bentolila

Jeux conçus par Georges Rémond

© Éditions Nathan (Paris-France), 2006
Conforme à la loi n°49956 du 16 juillet 1949
sur les publications destinées à la jeunesse
ISBN 209250905-5
N° éditeur : 10126782 - Dépôt légal : avril 2006
imprimé en Italie